在基层代表座谈会上的讲话

（2020年9月17日）

习 近 平

人民出版社

在基层代表座谈会上的讲话

（2020 年 9 月 17 日）

习　近　平

大家好！党中央决定，下个月在北京召开党的十九届五中全会，重点研究国民经济和社会发展第十四个五年规划和 2035 年远景目标问题并提出建议。为了开好这次全会，党中央坚持开门问策、集思广益，以各种方式广泛听取各方面意见和建议。

这段时间，我到一些地方进行了调研，并相继主持召开了企业家座谈会、党外人士座谈会、扎实推进长三角一体化发展座谈会、经济社会领域专家座谈会、科学家座谈会，听取意见和建议。这次利用来湖南考察的机会，请一些基层代表来座谈，主要是想当面听听大家对“十四五”规划编制的意见和建议。

今年以来，突如其来的新冠肺炎疫情给我们完成“十三五”和今年年初既定的全年目标任务带来挑战。我们坚持把人民生命安全和身体健康放在第一位，全力以赴开展疫情防控工作，打响了疫情防控的人民战争、总体战、阻击战。在初步控制住疫情蔓延势头后，我们及时统筹做好疫情防控和推动复工复产，加快恢复经济社会秩序。9月8日，我们在北京隆重召开表彰大会，颁授共和国勋章和国家荣誉称号奖章，表彰抗疫先进个人和先进集体。我在会上作了讲话。今年入汛以来，长江流域、淮河流域发生较重汛情，主要江河湖泊一度处于超警戒水位，一些地方受灾严重，党中央及时作出防汛救灾部署。在中央有关部门指导和协调下，有关省份包括湖南全力做好防汛救灾工作，抓紧灾后恢复重建。纵观世界，我们在疫情防控和经济恢复上都走在前列。取得这样的成绩,实属来之不易!

让我特别感动的是,在各种急难险重任务和风险挑战面前,广大人民群众总是同心同德、齐心协力、顽强奋战,作出了重大贡献。党和国家事业取得胜利都是人民的胜利!人民是真正的英雄!

人民对美好生活的向往就是我们的奋斗目标。好的方针政策和发展规划都应该顺应人民意愿、符合人民所思所盼,从群众中来、到群众中去。长期以来,我们党在出台重要方针政策、作出重大决策部署前,都要求有关部门深入基层调查研究,了解和掌握第一手材料。实事求是是我们党的思想路线的重要内容,早在延安时期,毛泽东同志就强调"共产党员应是实事求是的模范","只有实事求是,才能完成确定的任务",认为调查研究的方法"第一是眼睛向下,不要只是昂首望天","第二是开调查会"。五年规划编制涉及经济社会发展方方面面,同人民群众生产生活息息相关,需要把加强顶层设计和坚持问计于民统一起来,鼓励广大人民群众和社会各界以各种方式建言献策。

今天参会的基层干部群众代表，既有来自农村、社区、企业等方面的，也有来自教育、科技、卫生、政法等战线的；既有各级党代会代表、人大代表、政协委员、劳动模范、扶贫干部，也有新的社会阶层人士、农民工、快递小哥、网店店主等。大家都处在改革发展和生产一线，参与经济社会生活最直接，同群众联系最经常，对党的路线方针政策落地见效感知最真切，提出的意见和建议能够更加贴近基层实际、反映群众心声。

刚才，大家作了很好的发言，开门见山，直截了当，提出了许多好的意见和建议，很鲜活，很接地气，有利于我们更多了解基层情况。有关方面要认真研究、充分吸收。

前段时间，我们就“十四五”规划编制开展了网上意见征求活动，广大干部群众关注度、参与度都很高，很多意见和建议还反馈到了我这里。平常，我也收到很多群众的来信。这些意见和建议带有普遍性，刚才大家也谈到了。“十四五”规划建议要对这些问题作出积极回应。

下面，我谈几点意见。

第一，珍惜发展好局面，巩固发展好势头。“十四五”时期，是我国在全面建成小康社会基础上开启全面建设社会主义现代化国家新征程的第一个五年。当前和今后一个时期，我国发展仍然处于重要战略机遇期，但机遇和挑战都有新的发展变化。当今世界正经历百年未有之大变局，新冠肺炎疫情加剧了大变局的演变，国际环境日趋复杂，经济全球化遭遇逆流，一些国家单边主义、保护主义盛行，我们必须在一个更加不稳定不确定的世界中谋求我国发展。我国已进入高质量发展阶段，经济发展前景向好，同时发展不平衡不充分问题仍然突出，实现高质量发展还有许多短板弱项。对困难和挑战、阻力和变数，我们既不能遮掩回避、视而不见，也不能惊慌失措、乱了阵脚。我经常讲，中华民族伟大复兴绝不是轻轻松松、敲锣打鼓就能实现的。苦难铸就辉煌。没有一个国家、民族的现代化是顺顺当当实现的。尽管国际国内形势发生了深刻复杂变化，但我国经济稳中向好、长期向好的基本面没有变，我国经济潜力足、韧性大、活力强、回旋空间大、政策工具多的基本特点没有变，我国发展具有的多方面优势和条件没有变。我国具有全球最完整、规模最大的工业体系，有强大的生产能力、完善的配套能力，有超大规模内需市场，投资需求潜力巨大。我们要科学分析形势、把握发展大势，坚持稳中求进工作总基调，坚持新发展理念，统筹发展和安全，加快形成以国内大循环为主体、国内国际双循环相互促进的新发展格局。

第二，坚持贯彻以人民为中心的发展思想。民心是最大的政治。我们党是全心全意为人民服务的党，坚持立党为公、执政为民，把人民对美好生活的向往作为始终不渝的奋斗目标。在近百年的奋斗历程中，我们党不仅是这么说的，也一直是这么做的。在长征途中，红军经过汝城县文明乡沙洲村，我们的三位红军女战士把仅有的一条被子剪下半条给乡亲们，留下了“半条被子”的故事。在抗击新冠肺炎疫情斗争中，我们一开始就鲜明提出把人民生命安全和身体健康放在第一位。为了最大限度遏制疫情蔓延，我们在全国范围调集最优秀的医生、最先进的设备、最急需的资源，全力以赴投入疫病救治，救治费用全部由国家承担。谋划“十四五”时期发展，要坚持发展为了人民、发展成果由人民共享，努力在推动高质量发展过程中办好各项民生事业、补齐民生领域短板。要更加聚焦人民群众普遍关心关注的民生问题，采取更有针对性的措施，一件一件抓落实，一年接着一年干，让人民群众获得感、幸福感、安全感更加充实、更有保障、更可持续。

第三，加强基层党组织和基层政权建设。基础不牢，地动山摇。只有把基层党组织建设强、把基层政权巩固好，中国特色社会主义的根基才能稳固。“十四五”时期，要在加强基层基础工作、提高基层治理能力上下更大功夫。要加强和改进党对农村基层工作的全面领导，提高农村基层组织建设质量，为乡村全面振兴提供坚强政治和组织保证。要加强和创新基层社会治理，坚持和完善新时代“枫桥经验”，加强城乡社区建设，强化网格化管理和服务，完善社会矛盾纠纷多元预防调处化解综合机制，切实把矛盾化解在基层，维护好社会稳定。

第四，基层代表要更好发挥带头作用。全面建成小康社会不是终点，而是新生活、新奋斗的起点。人民群众中蕴含着丰富的智慧和无限的创造力。要把广大基层群众组织起来、动员起来、凝聚起来，充分激发人民群众的积极性、主动性、创造性。党员、干部要充分发挥先锋模范作用，人大代表要更加密切联系群众，政协委员要更好联系和服务所在界别的群众，农村致富带头人要更加积极发挥先富帮后富的作用，团结凝聚广大基层群众为创造更加美好的新生活而努力奋斗。

最后，我要强调的是，社会主义中国发展到今天，取得的成就不是天上掉下来的，更不是别人恩赐施舍的，而是广大人民群众在党的领导下用勤劳、智慧、勇气干出来的！在我们这么一个有着14亿人口的国家，每个人出一份力就能汇聚成排山倒海的磅礴力量，每个人做成一件事、干好一件工作，党和国家事业就能向前推进一步。大家来自基层和生产一线，代表各行各业，要坚定理想信念，注重学习提升，矢志艰苦奋斗，从一点一滴做起，把小事当大事干，踏踏实实把正在做的事情做好，靠勤劳双手成就属于自己的人生精彩，共同创造我们的幸福生活和美好未来。

图书在版编目(CIP)数据

在基层代表座谈会上的讲话/习近平 著. —北京:人民出版社,
2020.9

ISBN 978-7-01-022504-3

Ⅰ.①在…　Ⅱ.①习…　Ⅲ.①习近平-讲话-学习参考资料
②国民经济计划-五年计划-中国-2021—2025-学习参考资料
③基层工作-中国-学习参考资料　Ⅳ.①D2-0②F123.399

中国版本图书馆 CIP 数据核字(2020)第 181404 号

(RMC-ZJDXI-095-20200917)

在基层代表座谈会上的讲话

ZAI JICENG DAIBIAO ZUOTANHUI SHANG DE JIANGHUA

(2020 年 9 月 17 日)

习　近　平

人民出版社 出版发行

(100706　北京市东城区隆福寺街 99 号)

北京新华印刷有限公司印刷　新华书店经销

2020 年 9 月第 1 版　2020 年 9 月北京第 1 次印刷

开本:880 毫米×1230 毫米 1/32　印张:0.5

字数:6 千字

ISBN 978-7-01-022504-3　定价:2.00 元

邮购地址 100706　北京市东城区隆福寺街 99 号

人民东方图书销售中心　电话 (010)65250042　65289539

95

ISBN 978-7-01-022504-3

定价：2.00元

在科学家座谈会上的讲话

（2020年9月11日）

习　近　平

人 民 出 版 社